LA BOITE
À LUNCH
FAMILIALE

C.P. 325, Succursale Rosemont,
Montréal (Québec) Canada   H1X 3B8

Téléphone: (514) 522-2244
www.edimag.ca
Courrier électronique: info@edimag.com

Éditeur: Pierre Nadeau
Coordonnateur: Jean-François Gosselin
Correcteurs: Paul Lafrance, Pascale Matuszek

Dépôt légal: troisième trimestre 2005
Bibliothèque nationale du Québec
Bibliothèque nationale du Canada

© 2005, Édimag inc.
ISBN: 2-89542-178-1

Québec ▪▪   Canadä

L'éditeur bénéficie du soutien de la Société de développement des entreprises culturelles du Québec pour son programme d'édition.

Nous reconnaissons l'aide financière du gouvernement du Canada par l'entremise du Programme d'aide au développement de l'Industrie de l'édition (PADIÉ) pour nos activités d'édition.

SOPHIE TREMBLAY

LA BOITE À LUNCH FAMILIALE

EDIMAG
PRÈS DU PUBLIC

NE JETEZ JAMAIS UN LIVRE
La vie d'un livre commence à partir du moment où un arbre prend racine. Si vous ne désirez plus conserver ce livre, donnez-le. Il pourra ainsi prendre racine chez un autre lecteur.

DISTRIBUTEURS EXCLUSIFS

Pour le Canada et les États-Unis
LES MESSAGERIES ADP
2315, rue de la Province
Longueuil (Québec) CANADA J4G 1G4

Téléphone: (450) 640-1234   Télécopieur: (450) 674-6237

Pour la Suisse
TRANSAT DIFFUSION
Case postale 3625
1 211 Genève 3 SUISSE

Téléphone: (41-22) 342-77-40 / Télécopieur: (41-22) 343-46-46
Courriel: transat-diff@slatkine.com

Pour la France et la Belgique
DISTRIBUTION DU NOUVEAU MONDE (DNM)
30, rue Gay-Lussac
75005 Paris FRANCE

Téléphone: (1) 43 54 49 02 / Télécopieur: (1) 43 54 39 15
Courriel: liquebec@noos.fr

TABLE DES MATIÈRES

LES MENUS POUR MAMAN ET PAPA

LES REPAS FROIDS

LES REPAS CHAUDS

LES MENUS POUR ENFANTS

LES REPAS FROIDS

LES REPAS CHAUDS

Qu'est-ce que
La boîte à lunch familiale?

C'est bien connu, les enfants adorent cuisiner! Demandez-leur de vous aider à garnir une pizza, à préparer des biscuits ou à décorer un gâteau, et vous verrez leurs yeux pétiller de bonheur!

C'est dans cet état d'esprit qu'a été conçue *La boîte à lunch familiale*.

Divisé en deux parties, ce livre propose d'abord des idées de menus pour les boîtes à lunch de papa et maman. Du classique sandwich aux œufs aux carrés aux dattes, en passant par la salade de verdure pour elle, la salade de pâtes pour lui et les collations, les parents trouveront une multitude de recettes délicieuses, nutritives, économiques, rapides à concocter, et qui leur permettront de varier leurs repas du midi.

En seconde partie, les enfants découvriront, dans un langage accessible, d'autres idées de recettes adaptées à leur âge, à leurs connaissances et à leurs aptitudes. Simples et faciles à réaliser, ces recettes leur permettront, à eux aussi, de varier leurs menus du midi : sandwichs, pizzas, pâtes, biscuits, salades de fruits, il y en a pour tous les goûts!

En faisant participer vos enfants à la préparation de leur boîte à lunch, non seulement vous les mènerez sur le chemin de la santé et de l'autonomie, mais vous éveillerez aussi leur créativité, aiguiserez leurs sens et développerez leur goût pour de nouveaux aliments. Et, qui sait, peut-être que vos jeunes chefs insisteront désormais pour aller faire le marché avec vous? Peut-être inventeront-ils des recettes qui vous surprendront?

Vous verrez, cuisiner en famille, c'est amusant!

À votre santé!

Bien entendu, préparer ses propres lunchs demande un peu de temps et d'organisation. Mais, quand on connaît les conséquences alimentaires de prendre ses repas au restaurant ou à la cafétéria, la préparation maison des menus du midi a plus que sa raison d'être.

Glutamate monosodique, huile de coton, de palme, de copra ou de carthame, sulfites, substances laitières modifiées (saviez-vous que la majorité des compagnies qui fabriquent la crème glacée n'utilisent plus de crème dans leurs produits mais du beurre de lait hyper sucré?), arômes artificiels, glucose, fructose, sirop de maïs, gras trans à profusion, sucre à outrance, qualité incertaine des aliments… Qu'il est difficile de manger sainement en dehors de la maison!

Vous tirerez de nombreux bénéfices à préparer vous-même vos lunch : vous n'aurez plus de coups de fatigue en après-midi à cause d'une surdose de sucre, vous contrôlerez la fraîcheur des ingrédients (puisque vous les aurez choisis vous-même), ainsi que le dosage des condiments (mayonnaise, moutarde, vinaigrette, etc.), vous aurez plaisir à déguster des aliments dont le goût n'est pas caché par un excédent de sucre ou de sel, vous aurez une plus grande énergie, et réduirez les risques de maladies du cœur et d'embonpoint... et cette liste pourrait s'allonger longtemps!

Car bien se nourrir n'est pas sorcier. Boire beaucoup d'eau (un à deux litres par jour), modérer sa consommation d'alcool, de café, de mauvais gras (bye-bye margarine!), de sucre (bye-bye barres de chocolat, bonbons et confiseries!), de sel (bye-bye croustilles!), manger des portions raisonnables et connaître les quelques principes qui suivent, et le tour est joué!

LES PROTÉINES

Elles sont nécessaires à la croissance et au développement des muscles ainsi qu'au renouvellement des cellules. On les retrouve dans les œufs, les viandes, les poissons, les fromages et les laitages (lait, yogourt, crème, etc.), les légumineuses et les noix.

LES GLUCIDES

Elles représentent la meilleure source d'énergie pour l'organisme. On les retrouve dans le pain, les céréales, le riz et les pâtes. Évidemment, des produits complets (pains et pâtes de blé entier ou multigrains, riz brun, etc.) sont recommandés puisqu'ils contiennent plus de fibres alimentaires que les produits raffinés (*raffiné* ne signifie pas *de luxe* mais bien *épuré* : un produit raffiné est un produit dont on a ôté la plupart des éléments nutritifs : le pain blanc, le riz blanc et les pâtes blanches, par exemple).

LES LIPIDES

Ce sont les bonnes graisses, excellentes, entre autres, pour le cœur, le cerveau, les yeux et le système nerveux. On les retrouve dans l'huile d'olive, les poissons gras (le thon et le saumon), les noix et les avocats.

LES VITAMINES ET LES MINÉRAUX

Ce duo du tonnerre améliore globalement la résistance de l'organisme en stimulant les défenses du corps, en favorisant la régénérescence des cellules et en freinant le vieillissement. On les retrouve dans tous les fruits et légumes frais. Au lieu de vous ruinez en suppléments de vitamines et de minéraux, variez tout simplement votre alimentation : ananas, fraises, bananes, pommes, melons, brocolis, carottes, agrumes… la nature offre tout ce qu'il faut!

NOTE : En général, les enfants ne peuvent apporter à l'école des plats contenant des noix, à cause des
allergies alimentaires; c'est dans cette optique que
nous avons conçu la section qui s'adresse à eux.
Cependant, celle pour papa et maman contient des
recettes dans lesquelles il y a des noix. Si vous souhaitez les préparer pour vos enfants afin qu'ils les
apportent à l'école, omettez tout simplement cet ingrédient.

Les menus pour maman et papa

LES REPAS FROIDS

Vous trouverez dans cette section des recettes de sandwichs et de salades. Comme la majorité des hommes préfèrent les salades consistantes, nous avons regroupé, dans la section pour elle, toutes les salades de verdure et de légumes. La section pour lui comprend les salades de pâtes et de riz. Bien entendu, hommes et femmes peuvent puiser à leur guise dans la section de l'autre!

LES SANDWICHS

Faciles à préparer, les sandwichs sont toujours appréciés. Cependant, afin de ne pas tomber dans la monotonie, pensez à varier le genre de pains : pita, panini, muffin anglais, baguel, croissant, pain multigrain, baguette, kaiser, ciabatta, tortilla… Vous trouverez dans les épiceries et les boulangeries une multitude de pains qui sauront égayer vos repas.

Baguette à la tomate et la mozzarella
1 sandwich

La plupart des épiceries et des fruiteries vendent du mesclun, un mélange savoureux et coloré de jeunes laitues (épinards, roquette, feuilles de pissenlit, radicchio...).

1	morceau de baguette (6 pouces environ) coupé dans le sens de la longueur
	Mayonnaise
	Mesclun
1	tomate, en rondelles
	Poivre, au goût
2	rondelles d'oignon rouge ou espagnol (facultatif)
2	tranches de mozzarella
	Olives noires ou vertes, tranchées
1	pincée de basilic séché ou quelques feuilles de basilic frais

Badigeonner chaque tranche de pain de mayonnaise. Déposer sur l'une des deux un peu de mesclun. Ajouter les rondelles de tomate, le poivre, les rondelles d'oignon, si désiré, le fromage, les olives et le basilic. Refermer le sandwich.

Panini à l'aubergine et la tomate
1 sandwich

Un sandwich à déguster lorsqu'il sort du four.

1	panini
2	c. à soupe de pesto
2	rondelles d'aubergine cuite au four
3	rondelles de tomate
2	tranches de mozzarella
1	pincée de basilic séché ou quelques feuilles de basilic frais
	Poivre, au goût

Couper le panini dans le sens de la longueur. Badigeonner la mie de pesto. Sur l'une des tranches, déposer les rondelles d'aubergine, de tomate, le fromage et le basilic, puis saupoudrer de poivre. Refermer le sandwich et réfrigérer. Avant de servir, passer sous le gril quelques minutes.

Croissant chaud au jambon et fromage
1 sandwich

Nous proposons le brie, mais du camembert ou tout autre fromage fera parfaitement l'affaire.

1	croissant
	Moutarde de Dijon ou mayonnaise
2	tranches de jambon
2	tranches de brie

Couper le croissant en deux et le badigeonner de moutarde ou de mayonnaise. Y déposer le jambon et le fromage. Refermer le sandwich et réfrigérer. Avant de servir, passer sous le gril quelques minutes.

Panini à la viande froide
1 sandwich

Comme il est rare de trouver des viandes froides de bonne qualité (elles contiennent souvent du sucre et des agents de conservation), nous vous suggérons de ne pas en abuser.

1 panini
    Moutarde ou mayonnaise
    Laitue (Boston, mesclun, ou autre)
3 tranches de viande froide (dinde, mortadelle, ou autre)
2 tranches de gruyère (ou tout autre fromage)
2 rondelles de tomate
    Sel, au goût
    Poivre, au goût

Ouvrir le panini en deux et le badigeonner de moutarde ou de mayonnaise. Déposer sur l'une des deux tranches de pain la laitue, les tranches de viande froide, le gruyère et la tomate. Saler et poivrer. Refermer le sandwich.

Sous-marin au bœuf
1 sandwich

Pour faire ce sandwich, plusieurs possibilités s'offrent à vous : restants de rôti de bœuf, lanières de bœuf sautées ou fines tranches de bœuf à fondue poêlées...

1	c. à soupe de moutarde de Dijon
1	c. à thé de jus de citron
1	pincée d'estragon
1	sous-marin
	Quelques tranches de bœuf
2	tranches de mozzarella

Dans un bol, mélanger la moutarde, le jus de citron et l'estragon. Ouvrir le sous-marin en deux et le badigeonner du mélange de moutarde. Y déposer les tranches de bœuf et de fromage. Refermer le sandwich.

Club sandwich
1 sandwich

Si vous disposez d'un grille-pain au travail, vous pouvez apporter tous les ingrédients et faire votre sandwich à l'heure du lunch.

2 ou 3 tranches de pain
Mayonnaise, au goût
1 feuille de laitue
2 rondelles de tomate
Sel, au goût
Poivre, au goût
Quelques morceaux de poulet cuit
2 tranches de bacon cuites

Badigeonner chaque tranche de pain de mayonnaise. Sur la première tranche, déposer la laitue et les rondelles de tomate. Saler et poivrer. Ajouter une seconde tranche de pain, si désiré. Déposer le poulet et le bacon. Refermer le sandwich avec la dernière tranche de pain.

Tortilla au poulet et asperges
1 sandwich

Il existe sur le marché des tortillas blanches, vertes (faites avec des épinards) et orange (faites avec des tomates). Essayez-les!

1	c. à soupe de mayonnaise
1	pincée d'estragon séché
	Poivre, au goût
1	tortilla blanche, verte ou orange
	Mesclun
1	petite poitrine de poulet cuit, en lanières
3	asperges cuites

Dans un bol, mélanger la mayonnaise, l'estragon et le poivre. Étendre cette préparation sur la tortilla. Déposer ensuite le mesclun, le poulet et les asperges. Rouler la tortilla.

Tortilla au poulet et poivron
1 sandwich

En été, lorsqu'il vous reste un peu de poulet mariné cuit sur le barbecue, utilisez-le pour en farcir de délicieuses tortillas.

1	c. à soupe de mayonnaise
1	pincée de fines herbes séchées
	Poivre, au goût
1	tortilla blanche, verte ou orange
1	petite poitrine de poulet cuit, en lanières
	Quelques lanières de poivron rouge, jaune ou orange

Dans un bol, mélanger la mayonnaise, les fines herbes et le poivre. Étendre cette préparation sur la tortilla. Déposer le poulet cuit et les lanières de poivron. Rouler la tortilla.

Baguette au poulet et à la moutarde
1 sandwich

La moutarde de Meaux (ou moutarde à l'ancienne) est beaucoup plus douce que la moutarde de Dijon.

1/2	tasse de poulet cuit, en dés
1	branche de céleri, en dés
6	raisins rouges ou verts, coupés en deux (facultatif)
1	c. à soupe de mayonnaise
1	c. à thé de moutarde de Meaux ou de Dijon
1	pincée de basilic
	Sel, au goût
	Poivre, au goût
1	morceau de baguette (6 pouces environ), coupé dans le sens de la longueur
	Laitue (mesclun, romaine, Boston, au choix)

Dans un bol, mélanger le poulet, le céleri, les raisins, la mayonnaise, la moutarde et le basilic. Saler et poivrer. Sur l'une des deux tranches de pain, déposer la laitue et la préparation au poulet. Refermer le sandwich.

Pita farci au poulet et au cari
1 sandwich

Si le cœur vous en dit, modifiez cette recette en remplaçant
les dés de céleri par des dés de pomme verte.

1/2	tasse de poulet cuit, en dés
1	branche de céleri, en dés
1	c. à soupe de mayonnaise
1	c. à thé de jus de citron
1	pincée de cari en poudre
	Sel, au goût
	Poivre, au goût
1	pain pita

Bien mélanger le poulet, le céleri, la mayonnaise, le jus de citron et le cari. Saler et poivrer. Ouvrir le pita et le farcir de la garniture.

Kaiser au poulet et à la coriandre
1 sandwich

Vous pouvez aussi faire cette recette avec la ciabatta, un petit pain carré qui ressemble à un nuage.

1/2	tasse de poulet cuit, en dés
1	c. à soupe de mayonnaise
	Quelques feuilles de coriandre fraîche
	Sel, au goût
	Poivre, au goût
	Mesclun
1	kaiser

Dans un bol, mélanger le poulet, la mayonnaise et la coriandre. Saler et poivrer. Couper le kaiser en deux. Déposer un peu de mesclun sur l'une des moitiés, puis garnir de la préparation au poulet. Refermer le sandwich.

Classique aux œufs
1 sandwich

Excellents pour la santé, les œufs fournissent une bonne dose de protéines.

2	œufs
1	c. à soupe de mayonnaise
1	branche de céleri, en dés
1	c. à soupe de ciboulette (facultatif)
1	pincée de paprika
	Sel, au goût
	Poivre, au goût
2	tranches de pain

Déposer les œufs dans une casserole remplie d'eau. Sur la cuisinière, amener à ébullition. Dès que l'eau bout, calculer huit minutes. Plonger les œufs cuits dans de l'eau froide. Retirer les coquilles. À la fourchette, écraser les œufs. Ajouter la mayonnaise, le céleri, la ciboulette, si désiré, et le paprika. Saler et poivrer. Garnir le pain de la préparation aux œufs.

Croissant au jambon et aux œufs
1 sandwich

Ce sandwich peut aussi se manger au déjeuner.

2	œufs
1	c. à soupe de mayonnaise
	Sel, au goût
	Poivre, au goût
1	croissant
1	tranche de jambon

Déposer les œufs dans une casserole remplie d'eau. Sur la cuisinière, amener à ébullition. Dès que l'eau bout, calculer huit minutes. Plonger les œufs cuits dans de l'eau froide. Retirer les coquilles. À la fourchette, écraser les œufs. Ajouter la mayonnaise. Saler et poivrer. Ouvrir le croissant en deux. Y déposer la tranche de jambon, puis la préparation aux œufs.

Kaiser au thon et épinards
1 sandwich

Le trio épinards, orange et thon : une explosion de saveurs, de vitamines et de bon gras!

1	boîte de thon égoutté
1	c. à soupe de mayonnaise
1	c. à thé de zeste d'orange
	Sel, au goût
	Poivre, au goût
1	kaiser (ou toute autre sorte de pain)
	Quelques feuilles d'épinards parées, lavées et séchées

Dans un bol, mélanger le thon, la mayonnaise et le zeste d'orange. Saler et poivrer. Ouvrir le kaiser en deux. Déposer sur une moitié les feuilles d'épinards. Garnir avec la préparation au thon. Refermer le sandwich.

Panini au thon et cornichon
1 sandwich

À cause du cornichon sucré, cette recette devrait aussi faire le bonheur des enfants!

1	boîte de thon égoutté
1	c. à soupe de mayonnaise
1	cornichon sucré, en dés
	Sel, au goût
	Poivre, au goût
1	panini

Dans un bol, mélanger le thon, la mayonnaise et le cornichon. Saler et poivrer. Garnir le panini de cette préparation.

Sandwich au thon et cumin
1 sandwich

Le cumin se marie très bien au thon.

1	boîte de thon égoutté
1	c. à soupe de mayonnaise
1	c. à thé d'huile d'olive
1	pincée de cumin
	Sel, au goût
	Poivre, au goût
2	tranches de pain

Dans un bol, mélanger le thon, la mayonnaise, l'huile d'olive et le cumin. Saler et poivrer. Garnir le pain de la préparation au thon.

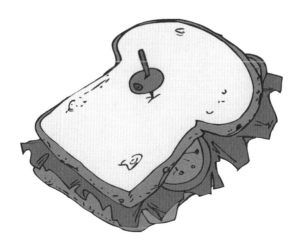

Croissant à la goberge
1 sandwich

La goberge : le goût de la mer à petit prix!

1/2	tasse de goberge, en morceaux
1	branche de céleri, en dés
1	c. à soupe de mayonnaise
1	c. à thé de jus de lime ou de citron
1	pincée d'aneth
	Sel, au goût
	Poivre, au goût
1	croissant

Dans un bol, mélanger la goberge, le céleri, la mayonnaise, le jus d'agrume et l'aneth. Saler et poivrer. Garnir le croissant de cette préparation.

Pain multigrain aux crevettes et à l'avocat

1 sandwich

Il faut absolument inclure le jus de citron (ou de lime) à cette préparation, sinon l'avocat noircira.

1	avocat mûr
1/2	tasse de petites crevettes
1	c. à soupe de mayonnaise
1	c. à thé de jus de citron
	Sel, au goût
	Poivre, au goût
2	tranches de pain multigrain

Peler et dénoyauter l'avocat. À la fourchette, écraser la chair. Ajouter les crevettes, la mayonnaise et le jus de citron. Bien mélanger. Saler et poivrer au goût. Garnir le pain de la préparation.

Sandwich au saumon
1 sandwich

Comme les câpres sont très salées, il est inutile d'ajouter du sel à cette garniture.

1	boîte de saumon égoutté
1	c. à soupe de mayonnaise
1	c. à thé de jus de citron
1	c. à thé de câpres
	Poivre, au goût
	Luzerne
2	tranches de pain

Dans un bol, mélanger le saumon, la mayonnaise, le jus de citron, les câpres et le poivre. Déposer de la luzerne sur l'une des tranches de pain. Garnir de la préparation au saumon. Fermer le sandwich.

Baguette au saumon fumé
1 sandwich

Vous pouvez remplacer le saumon par de la truite fumée, qui est moins chère.

1	c. à soupe de mayonnaise
1	c. à thé de jus de citron
1	pincée d'aneth
1	morceau de baguette (6 pouces environ) coupé dans le sens de la longueur
6	rondelles de concombre anglais
3	tranches de saumon fumé

Dans un bol, mélanger la mayonnaise, le jus de citron et l'aneth. Étaler cette préparation sur les tranches de pain. Déposer ensuite sur une des moitiés les rondelles de concombre, puis le saumon fumé. Refermer le sandwich.

Baguel au saumon fumé
1 sandwich

Le poivre rose possède un goût subtil qui n'a rien à voir avec celui du poivre noir.

1	c. à soupe de fromage à la crème
1	c. à thé de jus de citron
	Grains de poivre rose entiers, au goût
1	baguel
3	tranches de saumon fumé
	Câpres, au goût (facultatif)

Dans un bol, mélanger le fromage à la crème, le jus de citron et le poivre rose. Étendre la préparation sur un baguel coupé en deux. Déposer les tranches de saumon fumé ainsi que les câpres. Refermer le sandwich.

LES ACCOMPAGNEMENTS

Pour accompagner vos sandwichs, rien de mieux que des légumes. Vous trouverez ci-dessous des suggestions d'accompagnements : crudités (que vous pouvez manger en salade ou avec une trempette), avocat et salades.

Les crudités

Voici une liste de quelques légumes qui se marieront bien à vos sandwichs. En lanières, en rondelles, en bâtonnets ou tels quels, ils sont remplis de vitamines et de minéraux. Pour gagner du temps, préparez-en une bonne réserve, le dimanche par exemple, que vous conserverez dans des sacs hermétiques ou des contenants. Ainsi, une partie de vos lunchs de la semaine sera déjà prête!

brocoli

carottes

céleri

champignons

chou-fleur

concombres

courgettes jaunes

courgettes vertes

haricots jaunes

haricots verts

pois mange-tout

poivrons jaunes

poivrons orange

poivrons rouges

poivrons verts

radis

tomates cerises

Les trempettes

Vous pouvez déguster vos crudités nature ou avec une trempette. Voici quelques recettes qui se préparent rapidement et qui se conservent longtemps au frigo. Nous nous servons de mayonnaise, mais vous pouvez utiliser du yogourt nature ferme.

Trempette aux fines herbes
1/2 tasse

1/2	tasse de mayonnaise
1	c. à thé de jus de citron
2 à 3	pincées de fines herbes séchées

Mélanger tous les ingrédients et réfrigérer.

Trempette au cari
1/2 tasse

1/2	tasse de mayonnaise
1	c. à thé d'huile d'olive
2 à 3	pincées de cari en poudre

Mélanger tous les ingrédients et réfrigérer.

Trempette au cumin
1/2 tasse

1/2	tasse de mayonnaise
1	c. à thé d'huile d'olive
2 à 3	pincées de cumin en poudre

Mélanger tous les ingrédients et réfrigérer.

Trempette à l'aneth
1/2 tasse

1/2	tasse de mayonnaise
1	c. à soupe de jus de citron ou de lime
2 à 3	pincées d'aneth séché

Mélanger tous les ingrédients et réfrigérer.

Trempette à la ciboulette
1/2 tasse

1/2 tasse de mayonnaise
1 c. à thé de jus de lime ou de citron
1 c. à thé de ciboulette fraîche, finement hachée
1 pincée de persil frais ou séché

Mélanger tous les ingrédients et réfrigérer.

Trempette épicée
1/2 tasse

1/2 tasse de mayonnaise
1 c. à soupe de sauce chili ou de salsa
Quelques gouttes de tabasco
Quelques gouttes de sauce Worcestershire
Poivre noir, au goût

Mélanger tous les ingrédients et réfrigérer.

L'avocat

L'avocat contient un excellent gras, particulièrement bon pour le cerveau. Voici une recette toute simple qui vous permettra de déguster cet aliment.

1	avocat
1	filet d'huile d'olive
1	filet de vinaigre balsamique ou de jus de citron
	Sel
	Poivre

Couper l'avocat en deux dans le sens de la longueur. Retirer le noyau. Dans le creux des moitiés d'avocat, verser un filet d'huile d'olive et le vinaigre balsamique ou le jus de citron. Saler et poivrer. Manger à l'aide d'une cuillère.

Les salades

Lorsque vient le temps d'accompagner un sandwich, il y a bien sûr les crudités, mais aussi les salades. Vous pouvez concocter vous-même, à partir de la liste de crudités présentée précédemment, une salade de légumes, que vous accompagnerez de la vinaigrette de votre choix.

La seconde possibilité, c'est la salade de verdure. Vous pouvez laver, couper, sécher et préparer la Boston, la romaine ou la frisée. Mais si vous ne souhaitez pas vous compliquer la vie, optez pour le mesclun. Prêt à servir, ce mélange de jeunes laitues et de pousses est savoureux et coloré. Vous pouvez l'intégrer à tous vos sandwichs, ou le manger en salade avec votre vinaigrette préférée.

Les vinaigrettes

Au lieu d'acheter des vinaigrettes toutes faites qui contiennent une foule d'ingrédients inconnus, préparez-les vous-même!

Vinaigrette au vinaigre balsamique
1/2 tasse

5	c. à soupe d'huile d'olive
2	c. à soupe de vinaigre balsamique
1 à 2	pincées de basilic séché
	Sel, au goût
	Poivre, au goût

Mélanger tous les ingrédients.

Vinaigrette à la moutarde
et au vinaigre balsamique
1/2 tasse

5	c. à soupe d'huile d'olive
2	c. à soupe de vinaigre balsamique
1	c. à soupe de moutarde de Dijon
1 à 2	pincées de fines herbes séchées
1	gousse d'ail, finement hachée
	Sel, au goût
	Poivre, au goût

Mélanger tous les ingrédients et réfrigérer.

Vinaigrette aux herbes
1/2 tasse

5	c. à soupe d'huile d'olive
2	c. à soupe de vinaigre de vin rouge
2 à 3	pincées de fines herbes séchées
	Sel, au goût
	Poivre, au goût

Mélanger tous les ingrédients.

Vinaigrette au vinaigre de framboise et à l'estragon
1/2 tasse

5	c. à soupe d'huile d'olive
2	c. à soupe de vinaigre de framboise
1 à 2	pincées d'estragon
	Sel, au goût
	Poivre, au goût

Mélanger tous les ingrédients.

Vinaigrette à l'érable
1/2 tasse

5 c. à soupe d'huile d'olive

2 c. à soupe de vinaigre balsamique

1 c. à thé de sirop d'érable

Sel, au goût

Poivre, au goût

Mélanger tous les ingrédients et réfrigérer.

Les salades pour elle

Tel que mentionné précédemment, vous trouverez dans cette partie des recettes de salades de légumes et de verdure, qui, en général, sont très appréciées par les femmes.

Petit conseil : soyez vigilant avec les salades de verdure. Si vous ne souhaitez pas manger une salade détrempée, apportez votre vinaigrette dans un contenant à part. Quant aux assaisonnement à base de mayonnaise, déposez-les sur les ingrédients qui composent votre salade et mélangez le tout à l'heure du lunch.

Salade de carottes et de poulet au cari
1 portion

Vous pouvez remplacer les raisins secs par des raisins frais, rouges ou verts.

1	tasse de carottes râpées
1	poitrine de poulet cuit, en dés
1/4	de tasse de raisins secs
1	c. à soupe de mayonnaise
1	c. à soupe d'huile d'olive
1 à 2	pincées de cari en poudre
	Sel
	Poivre
1	pincée d'amandes effilées, grillées ou de graines de sésame

Dans un bol, mélanger les carottes, le poulet, les raisins secs, la mayonnaise, l'huile d'olive et le cari. Saler et poivrer au goût. Déposer la salade dans un contenant et réfrigérer. Au moment de servir, parsemer d'amandes ou de graines de sésame.

Salade de légumes verts au bœuf
1 portion

Pour faire cette recette, utilisez la coupe de bœuf qui vous plaît (dés, languettes, etc.) ou encore des restants de rôti.

1/4	de tasse de haricots verts cuits, en tronçons
1/4	de tasse d'asperges cuites, en tronçons
1/4	de tasse de courgettes vertes, en dés
1	portion de bœuf cuit
1	c. à soupe d'huile d'olive
1/2	c. à soupe de vinaigre balsamique
1/2	c. à thé de moutarde de Dijon
1	gousse d'ail finement hachée
	Sel
	Poivre

Dans un bol, mélanger les haricots, les asperges, les courgettes, le bœuf, l'huile d'olive, le vinaigre, la moutarde de Dijon et l'ail. Saler et poivrer au goût. Réfrigérer.

Salade de crevettes à la mangue
1 portion

Voilà une salade rafraîchissante quand l'été est chaud!

1/2	tasse de crevettes
1/2	tasse de céleri, en dés
1	mangue, en dés
1	c. à soupe de mayonnaise
1	c. à soupe d'huile d'olive
1	pincée d'aneth séché
	Sel
	Poivre

Dans un bol, mélanger les crevettes, le céleri, la mangue, la mayonnaise, l'huile d'olive et l'aneth. Saler et poivrer au goût. Réfrigérer.

Salade de tomates et de fromage
1 portion

Pour faire cette recette, variez les types de fromages : cheddar, bleu, emmenthal, feta, gouda...

1	tasse de tomates cerises
6 à 8	olives (noires, Kalamata, farcies, ou autre)
1/2	tasse de fromage ferme de votre choix, en dés
1	gousse d'ail finement hachée
1	c. à soupe d'huile d'olive
1/2	c. à soupe de vinaigre balsamique
1	pincée d'origan séché
	Sel
	Poivre

Dans un bol, mélanger les tomates, les olives, le fromage, l'ail, l'huile d'olive, le vinaigre balsamique et l'origan. Saler et poivrer au goût. Réfrigérer.

Salade colorée de légumes aux œufs
1 portion

Très économiques, les œufs sont une excellente source de protéines. Cuits dur, ils constituent la collation parfaite.

1/4	de tasse de maïs en grains
1/4	de tasse de céleri, en dés
1/2	tasse d'asperges cuites, en tronçons
6 à 10	tomates cerises
1	c. à soupe d'oignon rouge haché
1	c. à soupe d'huile d'olive
1/2	c. à soupe de vinaigre de vin rouge
1	pincée de fines herbes séchées
2	œufs cuits dur, tranchés

Dans un bol, mélanger le maïs, le céleri, les asperges, les tomates, l'oignon, l'huile d'olive, le vinaigre et les fines herbes. Déposer la salade et les œufs dans un contenant et réfrigérer.

Salade de thon aux légumes
1 portion

Le thon est peu calorique, hautement nutritif, et il contient des bons gras.

1	boîte de thon égoutté
1	branche de céleri, en dés
1/4	de tasse de poivron rouge, en gros dés
1/4	de tasse de poivron jaune, en gros dés
6 à 10	tomates cerises
1	c. à soupe de mayonnaise
1	c. à soupe d'huile d'olive
1	pincée de cumin
	Sel
	Poivre

Dans un bol, mélanger le thon, le céleri, les poivrons, les tomates, la mayonnaise, l'huile d'olive et le cumin. Saler et poivrer au goût. Réfrigérer.

Salade d'épinards et de poulet
à l'estragon
1 portion

*Voilà une belle salade rafraîchissante sur laquelle vous pou-
vez parsemer quelques amandes effilées grillées.*

1	tasse d'épinards frais, parés
1	poitrine de poulet cuit, en lanières
1	orange, en morceaux (facultatif)
1	c. à soupe de mayonnaise
1/2	c. à soupe d'huile d'olive
1	pincée d'estragon séché

Dans un plat, déposer les épinards et le poulet. Préparer l'orange et la mettre dans un autre contenant (si
vous la mettez tout de suite dans la salade, son jus ra-
mollira les épinards). Mélanger la mayonnaise, l'huile
d'olive et l'estragon. Verser la vinaigrette sur le poulet
et réfrigérer. Il ne vous restera plus qu'à ajouter les
morceaux d'orange et à mélanger le tout à l'heure du
lunch.

Salade César au poulet
1 portion

Un classique qui a toujours la cote dans les restaurants.

1/2 gousse d'ail finement hachée

1 c. à soupe d'huile d'olive

1/4 de c. à soupe de moutarde de Dijon

1/2 c. à soupe de parmesan râpé

1 c. à soupe de câpres ou de filets d'anchois (facultatif)

Poivre noir fraîchement moulu

1 tasse de laitue romaine hachée

1 poitrine de poulet cuit, en lanières ou en dés

1/4 de tasse de croûtons

Dans un bol, mélanger l'ail, l'huile d'olive, la moutarde, le parmesan, les câpres ou les anchois et le poivre. Verser la vinaigrette dans un contenant à part. Déposer la salade et le poulet dans un plat et réfrigérer. Mettre les croûtons dans un troisième contenant. Au moment de servir, mélanger tous les ingrédients.

Salade de saumon à l'aneth
1 portion

Pour faire cette recette, vous pouvez utiliser la laitue de votre choix (romaine, frisée, Boston, iceberg, etc.). Nous vous proposons le mesclun, car il n'est pas cher à l'achat, est coloré et prêt à l'emploi.

1	c. à soupe de mayonnaise
1	c. à soupe de jus de citron
1	pincée d'aneth séché
1	tasse de mesclun
1	filet de saumon cuit ou 1 boîte de saumon égoutté
1/4	de tasse d'asperges cuites, en tronçons
6 à 8	olives
	Quelques cubes de fromage de votre choix (mozzarella, provolone, cheddar, etc.)

Dans un bol, mélanger la mayonnaise, le jus de citron et l'aneth. Déposer le mesclun, le saumon, les asperges, les olives et le fromage dans un plat. Verser la mayonnaise citronnée sur le poisson. Réfrigérer.

Les salades pour lui

Après les salades légères, voici des recettes plus nourrissantes qui rassasieront ces messieurs.

Salade de pâtes au poulet, asperges et tomates séchées
1 portion

Lorsque vous prévoyez des pâtes pour le repas du soir, faites-en cuire une plus grande quantité. Ainsi, vous il vous restera quelques portions pour vos lunchs.

1	tasse de petites pâtes cuites (boucles, coquilles, ou autre)
1	poitrine de poulet cuit, en dés
1/4	de tasse d'asperges cuites, en tronçons
1/3	de tasse de tomates séchées, grossièrement hachées
6 à 8	olives (noires, Kalamata, farcies, etc.)
1	gousse d'ail, finement hachée
2	c. à soupe d'huile d'olive
1	c. à soupe de vinaigre balsamique
1 à 2	pincées de basilic séché
	Sel
	Poivre

Dans un bol, mélanger les pâtes, le poulet, les asperges, les tomates séchées, les olives, l'ail, l'huile d'olive, le vinaigre et le basilic. Saler et poivrer au goût. Réfrigérer.

Salade de riz aux légumes et au poulet
1 portion

Les tomates cerises sont fort pratiques dans les salades. Comme on ne les coupe pas, elles conservent leur jus, et la salade garde sa fermeté.

1	tasse de riz cuit
1/4	de tasse de céleri, en dés
1/4	de tasse de poivron, en dés (orange, jaune, rouge ou vert)
6 à 8	tomates cerises
1	poitrine de poulet cuit, en dés
2	c. à soupe d'huile d'olive
1/2	c. à soupe de moutarde de Dijon
1/2	c. à soupe de miel ou de sirop d'érable
1 à 2	pincées de fines herbes séchées
	Sel
	Poivre

Dans un bol, mélanger le riz, le céleri, le poivron, les tomates, le poulet, l'huile d'olive, la moutarde, le miel ou le sirop et les fines herbes. Saler et poivrer au goût. Réfrigérer.

Salade de semoule aux saucisses
1 portion

La semoule de blé (ou couscous) se vend en boîte ou en sac. Elle se prépare en moins de dix minutes.

1	tasse de semoule de blé cuite
1 ou 2	saucisses cuites, en dés
1/4	de tasse de haricots verts cuits, en tronçons
1/4	de tasse de courgettes, en dés
2	c. à soupe d'huile d'olive
1	pincée de cumin
1	pincée d'épices cajun
	Sel
	Poivre

Dans un bol, mélanger la semoule, les saucisses, les haricots, les courgettes, l'huile d'olive, le cumin et les épices cajun. Saler et poivrer au goût. Réfrigérer.

Salade de riz au thon
1 portion

Notre conseil concernant la cuisson des pâtes vaut aussi pour celle du riz : faites-en cuire une plus grande quantité, et vous utiliserez les restes pour vos lunchs.

1	tasse de riz cuit
1/4	de tasse de céleri, en dés
1/4	de tasse de maïs en grains
1	boîte de thon égoutté
1	échalote finement hachée
1	c. à soupe de mayonnaise
1	c. à soupe d'huile d'olive
1	pincée de paprika
	Sel
	Poivre

Mélanger le riz, le céleri, le maïs, le thon, l'échalote, la mayonnaise, l'huile d'olive et le paprika. Saler et poivrer au goût. Réfrigérer.

Salade niçoise sur pâtes
1 portion

La salade niçoise nous vient de France. Elle se compose principalement de thon, d'œufs cuits dur, de haricots verts, d'anchois et de pommes de terre. En voici une version sur un lit de pâtes.

1	tasse de petites pâtes cuites (boucles, coquilles, ou autre)
1	boîte de thon égoutté
1	œuf cuit dur, coupé en quatre
6	tomates cerises
6 à 8	olives
1/4	de tasse de haricots verts cuits, en tronçons
2	c. à soupe d'huile d'olive
1	c. à soupe de vinaigre de vin rouge
1/2	c. à thé de moutarde de Dijon
	Sel
	Poivre

Dans un bol, mélanger les pâtes, le thon, l'œuf, les tomates, les olives, les haricots, l'huile d'olive, le vinaigre et la moutarde. Saler et poivrer au goût. Réfrigérer.

Salade de riz aux crevettes
1 portion

Crevettes de Matane, crevettes en boîte, grosses crevettes, à vous le choix !

1	tasse de riz cuit
3/4	de tasse de crevettes cuites
1/4	de tasse de céleri, en dés
1/4	de tasse de concombre pelé, épépiné et en dés
6 à 8	tomates cerises
1	c. à soupe de mayonnaise
1	c. à soupe d'huile d'olive
1	pincée d'aneth séché
	Sel
	Poivre

Dans un bol, mélanger le riz, les crevettes, le céleri, le concombre, les tomates cerises, la mayonnaise, l'huile d'olive et l'aneth. Saler et poivrer au goût. Réfrigérer.

Salade de pâtes à la goberge
1 portion

Il existe sur le marché plusieurs types de goberges : à saveur de crabe, de homard, de pétoncle. Elles sont toutes savoureuses et très économiques.

1	tasse de petites pâtes cuites (boucles, coquilles, etc.)
3/4	de tasse de goberge, en morceaux
1/4	de tasse de maïs en grains
1/4	de tasse de courgettes, en dés
1	échalote finement hachée
1	c. à soupe de mayonnaise
1	c. à soupe d'huile d'olive
1	c. à soupe de jus de citron ou de lime
	Sel
	Poivre

Dans un bol, mélanger les pâtes, la goberge, le maïs, les courgettes, l'échalote, la mayonnaise, l'huile d'olive et le jus de citron ou de lime. Saler et poivrer au goût. Réfrigérer.

LES REPAS CHAUDS

Il est bien évident que penser aux lunchs quand on prépare les repas du soir demeure une façon très pratique de régler la question. On double ou on triple les quantités de manière à des portions déjà prêtes pour le lendemain ou le surlendemain. C'est la raison pour laquelle nous ne vous proposons pas une multitude de repas chauds. Cependant, les recettes que nous vous suggérons ont toutes le mérite de se préparer rapidement. D'autre part, n'hésitez pas à aller faire un tour dans la section pour enfants. D'autres délicieuses recettes vous attendent!

LES SOUPES

Tout comme les sandwichs, les soupes font d'excellents repas à l'heure du lunch. Préparez-les le week-end pour la semaine à venir et complétez vos lunchs d'une tranche de fromage, d'un avocat, de craquelins ou d'une tranche de pain complet. Vous pouvez aussi congeler une partie des soupes que vous faites. C'est un moyen économique et santé de vous dépanner quand vous n'avez pas le temps de cuisiner.

Soupe au poulet, tomates et riz
4 portions

Voilà une soupe complète en soi puisqu'elle contient protéines, glucides, lipides, vitamines et minéraux. Vous pouvez y verser un filet d'huile d'olive au moment de servir.

2 c. à soupe d'huile d'olive
1 petit oignon, en dés
1 gousse d'ail hachée
2 branches de céleri, en dés
Quelques feuilles de céleri, au goût
1 feuille de laurier
1 pincée de basilic séché
1 pincée d'origan séché
3 tasses de bouillon de poulet
1 boîte de tomates, en dés, avec leur jus
Sel
Poivre
1 tasse de riz cuit
1 tasse de poulet cuit, en dés

Dans une casserole, faire revenir l'oignon et l'ail dans l'huile d'olive jusqu'à ce qu'ils soient tendres. Ajouter le céleri et ses feuilles, le laurier, le basilic, l'origan, le bouillon de poulet, les tomates et leur jus. Amener à ébullition, réduire la chaleur et laisser mijoter jusqu'à ce que les légumes soient tendres. Saler et poivrer au goût. Ajouter le riz et le poulet. Laisser refroidir. Réfrigérer.

Soupe aux légumes
4 portions

Dans cette recette, ce sont les légumineuses qui fournissent un apport important en protéines. Vous pouvez accompagner cette soupe d'une tranche de pain ou de craquelins.

2	c. à soupe d'huile d'olive
1	petit oignon, en dés
1	gousse d'ail émincé
1	poireau, en dés
1	carotte, en dés
1	branche de céleri, en dés
1	courgette, en dés
1	tasse de tomates italiennes, en dés
1	pincée de basilic séché
4	tasses de bouillon de poulet
1	boîte de légumineuses de votre choix, rincées et égouttées
	Sel
	Poivre

Dans une casserole, faire revenir l'oignon et l'ail dans l'huile d'olive jusqu'à ce qu'ils soient tendres. Ajouter le poireau, la carotte, le céleri, la courgette, les tomates, le basilic et le bouillon de poulet. Amener à ébullition, réduire la chaleur et laisser mijoter jusqu'à ce que les légumes soient tendres. Ajouter les légumineuses. Saler et poivrer, au goût. Laisser refroidir et réfrigérer.

Soupe aux légumes et petites pâtes
4 portions

Pour un repas complet, accompagnez cette soupe d'un morceau de fromage, d'une tranche de viande ou d'un œuf cuit dur.

2	c. à soupe d'huile d'olive
1	petit oignon, en dés
1	gousse d'ail hachée
1	poireau, en dés
2	carottes, en dés
1	pomme de terre, en dés
2	branches de céleri, en dés
	Feuilles de céleri, au goût
4	tasses de bouillon de poulet

1	boîte de tomates, en dés, et leur jus
1	feuille de laurier
1	pincée de basilic séché
1	pincée d'origan séché
1	c. à soupe de sauce Worcestershire
3/4	de tasse de coquillettes cuites
	Sel
	Poivre

Dans une casserole, faire revenir l'oignon et l'ail dans l'huile d'olive jusqu'à ce qu'ils soient tendres. Ajouter le poireau, les carottes, la pomme de terre, le céleri et ses feuilles, le bouillon de poulet, les tomates et leur jus, le laurier, le basilic, l'origan et la sauce Worcestershire. Amener à ébullition, réduire la chaleur et laisser mijoter jusqu'à ce que les légumes soient tendres. Ajouter les coquillettes. Saler et poivrer au goût. Laisser refroidir. Réfrigérer.

Soupe au jambon, pommes de terre et maïs
4 portions

Voilà une autre soupe très nourrissante. Il ne lui manque qu'une tranche de pain ou des craquelins pour en faire un repas complet.

2	c. à soupe d'huile d'olive
1	petit oignon, en dés
1	tasse de jambon cuit, en dés
2	c. à soupe de farine
3	tasses de bouillon de poulet
1	tasse de pommes de terre, en dés
3/4	tasse de maïs cuit en grains
1	pincée d'estragon séché
1	pincée de persil séché
1	tasse de lait ou de crème 15 % M.G.
	Sel
	Poivre

Dans une casserole et dans l'huile d'olive, faire revenir l'oignon et le jambon pendant quelques minutes. Saupoudrer de farine et bien mélanger. Ajouter le bouillon de poulet, les pommes de terre, le maïs, l'estragon et le persil. Amener à ébullition, réduire la chaleur et laisser mijoter jusqu'à ce que les pommes de terre soient tendres. Ajouter le lait ou la crème, et chauffer. Saler et poivrer au goût. Laisser refroidir et réfrigérer.

Soupe aux épinards et à l'orge perlé
4 portions

Accompagnez cette soupe d'une tranche de viande ou de fromage.

2	c. à soupe d'huile d'olive
1	petit oignon, en dés
1	gousse d'ail hachée
2	branches de céleri, en dés
4	tasses de bouillon de poulet
1	paquet d'épinards frais, lavés et ciselés
1	tasse d'orge cuit
1	pincée de basilic séché
	Parmesan râpé, au goût
	Sel
	Poivre

Dans une casserole, faire revenir l'oignon et l'ail dans l'huile d'olive jusqu'à ce qu'ils soient tendres. Ajouter le céleri, le bouillon de poulet et les épinards. Amener à ébullition, réduire la chaleur et laisser mijoter jus-qu'à ce que les légumes soient tendres. Ajouter l'orge, le basilic et le parmesan. Saler et poivrer au goût. Lais-ser refroidir et réfrigérer.

LES PATES

Les pâtes se préparent rapidement. Afin de vous simplifier la vie, cuisinez une bonne quantité de votre recette de sauce préférée et congelez-la par petites portions que vous pourrez sortir le moment venu. Vous pouvez aussi acheter des sauces déjà préparées ; il en existe d'excellentes sur le marché, faites avec des ingrédients de premier choix : lisez les étiquettes

Tortellinis au pesto
et aux tomates séchées
1 portion

Le pesto, un mélange de basilic frais, de parmesan et de pignons, gagne en popularité depuis quelques années. Achetez-en un pot et préparez des lunchs vite faits.

1	tasse de tortellinis au fromage ou à la viande
1	c. à soupe de pesto
1	filet d'huile d'olive
1/3	de tasse de tomates séchées
6	olives dénoyautées
	Sel
	Poivre
	Parmesan ou romano râpé, au goût

Faire cuire les tortellinis selon les indications sur l'emballage. Les égoutter et y ajouter le pesto, l'huile d'olive, les tomates séchées et les olives. Saler et poivrer au goût. Déposer les pâtes dans un contenant. Saupoudrer de fromage râpé et réfrigérer.

Spaghettis au poulet et aux tomates
1 portion

Voici un repas complet auquel vous pourriez ajouter, pour un supplément de vitamines et de minéraux, une salade verte ou quelques crudités.

1	portion de spaghettis
1	poitrine de poulet cuit, en dés
3 à 4	c. à soupe de sauce aux tomates
1 à 2	pincées d'origan
	Sel
	Poivre
	Parmesan ou romano râpé, au goût

Faire cuire les spaghettis selon les indications sur l'emballage. Les égoutter et ajouter le poulet, la sauce aux tomates et l'origan. Saler et poivrer au goût. Déposer les pâtes dans un contenant. Saupoudrer de fromage râpé et réfrigérer.

Penne à la saucisse
1 portion

Encore une fois, voici un repas complet qui se prépare rapidement.

1	tasse de penne
1	c. à soupe d'huile d'olive
1	saucisse, en rondelles
1/2	tasse de courgettes, en dés
3 à 4	c. à soupe de sauce aux tomates
1 à 2	pincées de basilic
	Sel
	Poivre
	Parmesan ou romano râpé, au goût

Faire cuire les penne selon les indications sur l'emballage. Les égoutter et les mettre de côté. Dans une poêle, faire revenir la saucisse dans l'huile d'olive. Ajouter les courgettes et faire cuire pendant quelques minutes. Mettre les penne dans la poêle, ainsi que la sauce aux tomates et le basilic. Saler et poivrer au goût. Déposer les pâtes dans un contenant. Saupoudrer de fromage râpé et réfrigérer.

Boucles aux légumes
1 portion

Nous vous proposons un assortiment de légumes. Libre à vous d'ajouter ceux que vous avez dans votre frigo.

1	tasse de boucles
1	c. à soupe d'huile d'olive
1/4	de tasse de champignons émincés
1/4	de tasse de courgettes, en dés
1/4	de tasse de céleri, en dés
1/4	de tasse de poivron rouge, jaune ou orange, en dés
3 à 4	c. à soupe de sauce aux tomates
1	pincée de fines herbes séchées
	Sel
	Poivre
	Parmesan ou romano râpé, au goût

Faire cuire les boucles selon les indications sur l'emballage. Les égoutter et les mettre de côté. Dans une poêle et dans l'huile d'olive, faire revenir les champignons, les courgettes, le céleri et le poivron. Ajouter les boucles dans la poêle, ainsi que la sauce aux tomates et les fines herbes. Saler et poivrer au goût. Déposer les pâtes dans un contenant. Saupoudrer de fromage râpé et réfrigérer.

Linguine aux crevettes sauce rosée
1 portion

Des crevettes… mais ça pourrait tout aussi bien être du thon, de la goberge ou du saumon.

1	portion de linguine
3 à 4	c. à soupe de sauce aux tomates
2	c. à soupe de crème 35 % M.G.
1/2	tasse de crevettes cuites
1	pincée de basilic
	Sel
	Poivre
	Parmesan ou romano râpé, au goût

Faire cuire les linguine selon les indications sur l'emballage. Les égoutter et ajouter la sauce aux tomates, la crème, les crevettes et le basilic. Saler et poivrer au goût. Déposer les pâtes dans un contenant. Saupoudrer de fromage râpé et réfrigérer.

LES VIANDES

Encore une fois, voici des recettes rapides à préparer, qui s'exécutent en un tour de main.

Sauté de poulet aux légumes
1 portion

Vous pouvez accompagner ce plat de nouilles asiatiques, de riz ou d'une tranche de pain.

1	c. à soupe d'huile d'olive
1	poitrine de poulet, en dés
1	gousse d'ail hachée
2	champignons émincés
1/4	de tasse de poivron rouge, jaune ou orange, en gros dés
1/4	de tasse de céleri, en dés
1/4	de tasse de brocoli, en morceaux (tiges et fleurettes)
2 à 3	pincées de fines herbes
1	c. à soupe de sauce soya
1	pincée de graines de sésame

Dans une poêle, faire revenir le poulet avec l'ail dans l'huile d'olive jusqu'à ce que le poulet soit cuit. Retirer du feu et réserver. Dans la même poêle, faire revenir les champignons, les dés de poivron, le céleri et le brocoli. Remettre le poulet et l'ail dans la poêle. Ajouter les fines herbes et la sauce soya. Déposer le poulet aux légumes dans un contenant. Parsemer de graines de sésame et réfrigérer.

Poulet au pesto et juliennes
1 portion

Nous suggérons de couper les légumes en juliennes (fins bâtonnets), mais vous pouvez aussi faire des rondelles. N'hésitez pas à jouer avec les différentes façons de couper viande et légumes.

1	c. à soupe d'huile d'olive
1	poitrine de poulet, en lanières
1	petit oignon, en dés
1/2	courgette, en julienne
1/2	carotte, en julienne
1	c. à soupe de pesto
1	c. à soupe d'huile d'olive
	Sel
	Poivre
1/2	tasse de riz cuit

Dans une poêle, faire revenir le poulet et l'oignon dans l'huile d'olive jusqu'à ce qu'ils soient cuits. Retirer du poêlon. Faire revenir les juliennes de courgette et de

carotte. Remettre le poulet et les oignons dans la poêle. Ajouter le pesto et l'huile d'olive. Saler et poivrer
au besoin. Dans un contenant, créer un lit de riz. Déposer le poulet et les légumes sur le riz. Réfrigérer.

Poulet à la crème
1 portion

*Accompagnez cette recette de riz ou de pain, ainsi que
d'une salade de verdure ou de crudités.*

1	c. à soupe d'huile d'olive
1	poitrine de poulet, en dés
1	petit oignon, en dés
1	gousse d'ail hachée
1/4	de tasse de crème 35 % M.G.
1	c. à soupe de moutarde de Dijon
	Sel
	Poivre

Dans une poêle, faire revenir le poulet, l'oignon et l'ail
dans l'huile d'olive jusqu'à ce qu'ils soient cuits. Ajouter la crème et la moutarde. Saler et poivrer au goût.
Déposer le poulet dans un contenant. Réfrigérer.

Riz à la viande
1 portion

Pour éviter de tomber dans la monotonie, variez la viande hachée. Bœuf, veau, cheval, agneau, elles sont toutes exquises.

1	c. à soupe d'huile d'olive
1	portion de viande hachée
1	petit oignon, en dés
1	gousse d'ail hachée
1/4	de tasse de céleri, en dés
1/4	de tasse de petits pois
1/2	tasse de riz cuit
	Sel
	Poivre

Dans une poêle, faire revenir la viande hachée, l'oignon, l'ail et le céleri dans l'huile d'olive. Lorsque la viande est cuite, ajouter les petits pois et le riz. Bien mélanger. Saler et poivrer au goût. Déposer le tout dans un contenant. Réfrigérer.

Papillote de saumon aux asperges
1 portion

La cuisson en papillote est tout indiquée pour ceux et celles qui surveillent leur ligne.

1	filet de saumon
1/4	de tasse de céleri, en dés
6	asperges lavées et parées
1	filet d'huile d'olive
2	c. à soupe de jus de citron
2	pincées d'aneth
1/2	tasse de riz cuit

Préchauffer le four à 350 °F. Dans une feuille d'aluminium, déposer le saumon. Ajouter le céleri et les asperges. Mouiller avec l'huile d'olive et le jus de citron. Saupoudrer d'aneth et refermer la papillote. Enfourner et cuire 15 à 20 minutes, selon l'épaisseur de votre filet (vérifier la cuisson en piquant le poisson avec une fourchette). Sortir la papillote du four. Dans un contenant, faire un lit de riz. Y déposer le saumon, les légumes et le jus de cuisson. Réfrigérer.

LES COLLATIONS ET LES DESSERTS

Vous trouverez aussi dans la section pour enfants de bonnes idées de collations nourrissantes et de desserts.

Mélange épicé de noix et de fruits secs
2 tasses

En plus d'être très nutritif, ce mélange se conserve long-temps. N'hésitez pas à inventer votre propre combinaison d'ingrédients.

1/4 de tasse de graines de citrouille

1/4 de tasse de graines de tournesol

1/4 de tasse de pacanes ou de noix de Grenoble

1/4 de tasse de noix de cajou

1/2 tasse de raisins secs

1/2 tasse de canneberges séchées

1 pincée de cannelle

1 pincée de muscade

1 pincée de cardamome

1 pincée de clou de girofle moulu

Dans un bol, bien mélanger tous les ingrédients. Conserver dans un contenant ou un sac hermétiquement fermé.

Salade de fruits au miel
4 portions

Comme cette recette donne quatre portions, vous serez équipé en collation ou en dessert pour quelques jours!

1 à 2 pincées de menthe séchée
1 c. à soupe de jus de lime
3 c. à soupe de jus d'orange
1 c. à soupe de miel
1 tasse de fraises fraîches, coupées
1 tasse de cantaloup ou de melon miel Honeydew, en boules ou en dés
1 tasse de raisins verts ou rouges
2 kiwis, pelés et en dés

Dans un bol, bien mélanger la menthe, le jus de lime, le jus d'orange et le miel. Ajouter les fruits et mélanger délicatement. Répartir la salade de fruits dans quatre contenants. Réfrigérer.

Salade de fruits exotiques
2 portions

En plus de la mangue, du kiwi et de l'ananas, vous pouvez ajouter à cette recette de la papaye, des litchis, des fruits de la passion ou des figues.

1	mangue parée et coupée en dés
2	kiwis pelés et coupés en dés
2	tranches d'ananas, en dés
1/4	de tasse de jus d'orange

Dans un bol, mélanger tous les ingrédients. Répartir la salade dans deux contenants. Réfrigérer.

Mélange de fruits d'été
2 portions

La touche de sirop d'érable n'est pas indispensable. Si vos fruits sont mûrs et sucrés, vous pouvez omettre cet ingrédient.

1	pêche, en dés
1	prune, en dés
1	nectarine, en dés
1	abricot, en dés
1	c. à thé de sirop d'érable

Dans un bol, mélanger tous les ingrédients. Répartir dans deux contenants. Réfrigérer.

Compote de pommes et de poires
2 portions

Au tout début de l'automne, c'est la saison des pommes. Profitez-en pour cuisiner des tartes, des croustades et des compotes.

2 pommes pelées et coupées en gros dés
2 poires pelées et coupées en gros dés
4 c. à soupe d'eau
1 c. à soupe de sirop d'érable
1 pincée de cannelle

Dans une casserole, mettre les pommes, les poires, l'eau et le sirop d'érable. Ajouter la cannelle et bien mélanger. Faire chauffer pendant quelques minutes, tout en brassant, jusqu'à ce que les fruits commencent à ramollir. Retirer du feu, laisser refroidir et répartir dans deux contenants.

Compote de fraises et de pêches
2 portions

Vous pouvez remplacer les pêches par des nectarines ou des abricots.

2	pêches pelées et coupées en gros dés
1/2	tasse de fraises, en morceaux
4	c. à soupe d'eau
1	c. à soupe de miel liquide
1	pincée de menthe séchée

Dans une casserole, mettre les pêches, les fraises, l'eau, le miel et la menthe. Faire chauffer pendant quelques minutes, tout en brassant, jusqu'à ce que les fruits commencent à ramollir. Retirer du feu, laisser refroidir et répartir dans deux contenants.

Croustade aux pommes
4-6 portions

Voilà une autre belle façon de profiter de l'abondance de l'automne.

2	c. à soupe de jus de citron
2	c. à soupe d'eau
5	pommes moyennes, pelées, en dés
1/4	de tasse de sirop d'érable (ou de sucre)
1	pincée de cannelle
1	pincée de muscade
1/4	de tasse de beurre, à la température de la pièce
1/3	de tasse de cassonade tassée
3/4	de tasse de flocons d'avoine
1/3	de tasse de farine tout usage

Préchauffer le four à 375 °F. Dans un bol, mélanger l'eau et le jus de citron. Y déposer les pommes, le sirop d'érable ou le sucre, ainsi que la cannelle et la muscade. À l'aide d'un essuie-tout, graisser un plat (avec du beurre ou de l'huile d'olive) et y verser le mélange de pommes. Dans un autre bol, écraser le beurre à la fourchette. Ajouter la cassonade, les flocons d'avoine et la farine, et bien mélanger. Déposer ce mélange sur les pommes. Faire cuire au four 30 à 40 minutes ou jusqu'à ce que la croûte soit dorée. Laisser refroidir et réfrigérer.

Croustade aux fruits
4-6 portions

Nous vous proposons un mélange pêches, nectarines, fraises, mais vous pouvez aussi choisir nectarines, prunes, mûres ou mangues, pêches, bleuets. Laissez libre cours à votre créativité!

2	pêches moyennes pelées et coupées en dés
2	nectarines moyennes pelées et coupées en dés
1/2	tasse de fraises, coupées
1/4	de tasse de sirop d'érable (ou de sucre)
1/4	de tasse de beurre, à la température de la pièce
1/3	de tasse de cassonade tassée
3/4	de tasse de flocons d'avoine
1/3	de tasse de farine tout usage

Préchauffer le four à 375 °F. Dans un bol, mélanger les pêches, les nectarines, les fraises et le sirop ou le sucre. À l'aide d'un essuie-tout, graisser un plat (avec du beurre ou de l'huile d'olive) et y verser le mélange de fruits. Dans un autre bol et à la fourchette, écraser le beurre. Y ajouter la cassonade, les flocons d'avoine et la farine, et bien mélanger. Déposer ce mélange sur les fruits. Faire cuire au four 30 à 40 minutes ou jusqu'à ce que la croûte soit dorée. Laisser refroidir et réfrigérer.

Carrés aux dattes

12 portions

Pour un goût différent, vous pouvez remplacer l'eau par du jus d'orange.

1	tasse d'eau
3	tasses de dattes dénoyautées
1/2	tasse de beurre à la température de la pièce
1/2	tasse de cassonade
1 1/2	tasse de farine tout usage
1 1/2	tasse de flocons d'avoine
1	pincée de sel
1/4	c. à thé de poudre à pâte

Préchauffer le four à 350 °F. Dans une casserole, mélanger l'eau et les dattes. Amener à ébullition, réduire la chaleur et laisser mijoter environ 10 minutes (jusqu'à épaississement), en mélangeant de temps en temps. Retirer la casserole du feu. Dans un bol, bien mélanger le reste des ingrédients. Dans un moule carré et graissé (avec du beurre ou de l'huile d'olive), étendre, tout en pressant bien, la moitié de la préparation de farine. Sur cette couche, étendre la pâte de dattes, puis recouvrir de l'autre moitié de la préparation de farine. Enfourner et faire cuire 20 à 25 minutes.

Pain aux bananes
6-8 portions

Si vous le souhaitez – et si vos enfants peuvent apporter des plats contenant des noix à l'école –, vous pouvez ajouter 1/2 tasse de noix à ce pain.

1/2	tasse de beurre à la température de la pièce
1/2	tasse de sucre
2	œufs
1	tasse de bananes mûres, en purée
2	tasses de farine tout usage
1 1/2	c. à thé de poudre à pâte
1	c. à thé de bicarbonate de soude
1	pincée de sel
1/2	tasse de lait

Préchauffer le four à 350 °F. Dans un bol, mélanger le beurre et le sucre. Incorporer le premier œuf en battant. Ajouter le second œuf, et battre à nouveau. Ajouter la purée de bananes et bien mélanger. Dans un autre bol, mélanger la farine, la poudre à pâte, le bicarbonate de soude et le sel. Incorporer cette préparation au mélange de bananes, ainsi que le lait, en alternance. Verser la pâte dans un moule haut, de forme rectangulaire, préalablement graissé (avec du beurre ou de l'huile d'olive). Faire cuire le pain pendant 40 minutes (insérer un cure-dent au centre pour vérifier la cuisson).

Rochers aux amandes
20 bouchées

Très rapides à préparer, ces bouchées fournissent une bonne dose d'énergie en fin d'après-midi.

2	tasses d'amandes effilées
2	tasses de brisures de chocolat mi-sucré

Étaler les amandes sur une plaque à biscuits et les faire griller au four (surveiller bien, car les amandes brûlent rapidement!). Retirer du four et laisser refroidir quelques minutes. Dans une casserole, faire chauffer le chocolat. Quand il est liquide, ajouter les amandes et bien remuer. À la cuillère, façonner des bouchées et les déposer sur une plaque à biscuits. Mettre la plaque au frigo une trentaine de minutes afin de faire durcir les bouchées. Conserver dans un plat hermétiquement fermé à la température ambiante.

Muffins aux bleuets et au miel
12-16 portions

Vous pouvez réaliser cette recette avec des fraises, des framboises ou des mûres, ou avec un mélange de petits fruits. Vous pouvez aussi remplacer le miel par du sirop d'érable.

2	tasses de farine
1	c. à soupe de poudre à pâte
1	pincée de sel
1	tasse de bleuets frais ou congelés
1	tasse de lait
1/4	de tasse de miel liquide
1	œuf battu
1/4	de tasse d'huile d'olive

Préchauffer le four à 400 °F. Dans un bol, mélanger la farine, la poudre à pâte et le sel. Ajouter les bleuets. Dans un autre bol, mélanger le lait, le miel, l'œuf et l'huile d'olive. Incorporer la préparation précédente et mélanger jusqu'à consistance homogène. Répartir la préparation dans des moules à muffins beurrés. Faire cuire 20 à 30 minutes jusqu'à ce qu'un cure-dent inséré dans les muffins en ressorte propre.

Muffins au cheddar
12-16 portions

Vous pouvez ajouter 1/2 tasse de pommes pelées et coupées en dés à cette recette.

2	tasses de farine
1	c. à soupe de poudre à pâte
1	pincée de sel
1	tasse de cheddar râpé
1	pincée de piment de Cayenne
1	tasse de lait
2	œufs battus
1/4	de tasse d'huile d'olive

Préchauffer le four à 400 °F. Dans un bol, mélanger la farine, la poudre à pâte, le sel, le fromage et le piment de Cayenne. Dans un autre bol, mélanger le lait, les œufs et l'huile d'olive. Incorporer la préparation précédente et mélanger jusqu'à consistance homogène. Répartir dans des moules à muffins beurrés. Faire cuire 20 à 30 minutes jusqu'à ce qu'un cure-dent inséré dans les muffins en ressorte propre.

LES AUTRES COLLATIONS ET DESSERTS

Une collation ou un dessert peut aussi se résumer à déguster des fruits frais ou séchés. Voici une liste qui vous inspirera.

Les fruits frais

abricots	mûres
ananas	nectarines
bananes	oranges
bleuets	pamplemousses roses
cantaloups	papayes
cerises	pêches
clémentines	poires
figues	pommes jaunes
fraises	pommes rouges
framboises	pommes vertes
kiwis	prunes
mangues	raisin noir
melons d'eau jaunes	raisin rouge
melons d'eau rouges	raisin vert
melons miel Honeydew	tangerines

Les fruits séchés

abricots	figues
ananas	papayes
canneberges	pruneaux
dattes	raisins

Pour terminer, voici une dernière liste de produits qui peuvent vous soutenir lorsque vous ressentez une petite faim :

fromage
craquelins
tranche de pain
œuf cuit dur
crudités (voir la liste dans la section *Les sandwichs*)
yogourt nature ou aux fruits

Les boissons
Évidemment, vous pouvez préparer vos jus de fruits vousmême. Mais comme il en existe d'excellents sur le marché, inutile de vous compliquer la vie. D'autre part, si vous travaillez dans un bureau, ayez toujours quelques sachets de thé et de tisanes à votre disposition.

Les boissons
eau de source
eau minérale
eau minérale aux fruits
thé vert
tisane aux fruits (fraise, poire, etc.)
tisane de plantes (camo-
mille, verveine, etc.)
jus de tomate
jus de carottes
jus de légumes
jus de fruits (voir la section *Menus pour enfants* pour des suggestions)

LES MENUS POUR ENFANTS

Dans ce chapitre, tu trouveras des recettes faciles à réaliser. Prépare les sandwichs, les salades et les plats chauds la veille, et le dimanche après-midi, cuisine les biscuits, les muffins et les salades de fruits qui serviront pendant la semaine de collations et de desserts.

LES SANDWICHS

Les sandwichs sont rapides à préparer. N'hésite pas à changer de type de pain : pita, pain en tranches, baguette, croissant, muffin anglais… Va faire un tour à l'épicerie et tu trouveras une grande variété de pains.

Sandwich aux deux fromages
1 portion

Si tu es un amateur de fromage, laisse libre cours à ta créativité et invente plusieurs variantes de ce sandwich.

1	morceau de baguette (4 à 6 pouces) coupé en deux dans le sens la longueur
	Un peu de beurre
2	tranches de cheddar blanc
2	tranches de cheddar jaune

Étale un peu de beurre sur une moitié de pain. Dépose ensuite les tranches de fromage et referme ton sandwich. Emballe-le ou mets-le dans un contenant et range-le au frigo.

Sous-marin au poulet

1 portion

Quand il y a un restant de poulet au réfrigérateur, profites-en pour faire des sandwichs au poulet!

1 pain à sous-marin coupé en deux dans le sens de la longueur
1 c. à soupe de mayonnaise
1 feuille de laitue lavée et séchée
1 poitrine de poulet cuit, en lanières

Étends la mayonnaise sur les deux moitiés de pain. Dépose une feuille de laitue sur l'une des moitiés, ensuite le poulet. Ferme ton sandwich. Emballe-le ou mets-le dans un contenant et range-le au frigo.

Sandwich au jambon

1 portion

Je te suggère le pain pita, mais tu peux choisir un autre type de pain.

1	pain pita
1	c. à soupe de moutarde ou de mayonnaise
2	tranches de jambon cuit
2	feuilles de laitue lavées et séchées

Coupe le pain pita en deux parties égales et ouvre-le. Étends de la moutarde ou de la mayonnaise à l'intérieur des pochettes. Remplis-les chacune d'une feuille de laitue et d'une tranche de jambon. Emballe ton sandwich ou mets-le dans un contenant et range-le au frigo.

Sandwich au jambon et au fromage
1 portion

Pour un repas complet, accompagne ce croissant de crudités ou d'un jus de légumes.

1	croissant ouvert en deux dans le sens de la longueur
1	c. à soupe de moutarde ou de mayonnaise
2	tranches de jambon cuit
2	tranches de fromage de ton choix

Étale la moutarde ou la mayonnaise sur chaque moitié du croissant. Dépose le jambon et le fromage sur l'une des moitiés et referme ton sandwich. Emballe-le ou mets-le dans un contenant et range-le au frigo.

Sandwich au thon
1 portion

Tu peux ajouter dans le mélange de thon une branche de céleri ou un cornichon, coupés en petits dés.

1	pain kaiser coupé en deux
1	boîte de thon égoutté
1	c. à soupe de mayonnaise
1	feuille de laitue lavée et séchée
2	tranches de fromage de ton choix

Dans un bol, dépose le thon. Ajoutes-y la mayonnaise et mélange bien. Sur l'une des moitiés du pain, dépose une feuille de laitue, les tranches de fromage et le thon. Referme ton sandwich. Emballe-le ou mets-le dans un contenant et range-le au frigo.

Sandwich aux œufs
1 portion

Pour faire des œufs cuits dur, dépose les œufs dans une casserole remplie d'eau, que tu amèneras à ébullition sur le feu. Dès que l'eau bout, calcule huit minutes et éteins le feu. Passe les œufs sous l'eau froide et retire la coquille.

2	tranches de pain multigrain
2	œufs cuits dur
1	c. à soupe de mayonnaise
1	pincée de paprika

À la fourchette et dans un bol, écrase les œufs. Ajoute la mayonnaise et le paprika et mélange bien. Étends la préparation aux œufs sur une tranche de pain. Referme ton sandwich. Emballe-le ou mets-le dans un contenant et range-le au frigo.

Sandwich aux cretons
1 portion

C'est bon, les cretons, mais c'est très gras. Alors, interdit d'en manger tous les jours!

2	tranches de pain de ton choix
1	c. à soupe de moutarde
2	c. à soupe de cretons
1	feuille de laitue lavée et séchée
2	rondelles de poivron (jaune, orange, rouge ou vert)

Étale un peu de moutarde sur les tranches de pain. Étends les cretons sur l'une des tranches, dépose la laitue et les rondelles de poivron. Referme ton sandwich. Emballe-le ou mets-le dans un contenant et range-le au frigo.

Sandwich à la saucisse
1 portion

Tout comme les cretons, évite de manger des saucisses trop souvent, car c'est un aliment gras.

2	tranches de pain de ton choix
1	c. à soupe de moutarde
1/2	tasse de chou haché
1	saucisse cuite, en rondelles

Étale un peu de moutarde sur les tranches de pain. Mets le chou et les rondelles de saucisse sur l'une de tranches. Referme ton sandwich. Emballe-le ou mets-le dans un contenant et range-le au frigo.

Sandwich pizza
1 portion

Voici un sandwich qui te donnera l'impression de manger de la pizza!

1	pain pita
2	c. à soupe de sauce aux tomates
4	tranches de salami
2	tranches de fromage
2	rondelles de poivron vert
2	champignons, en tranches

Coupe le pain pita en deux parties égales et ouvre-le. Étale de la sauce aux tomates dans chacune des pochettes. Répartis le salami, le fromage, les rondelles de poivron et les champignons dans les pochettes. Emballe ton sandwich ou mets-le dans un contenant et range-le au frigo.

LES PIZZAS

Tout le monde raffole de la pizza! En voici quelques recettes que tu pourras faire cuire la veille et manger froides le lendemain. Et n'oublie pas : tu peux toujours remplacer un ingrédient par un autre.

Pizza au jambon et aux ananas
1-2 portions

Tu trouveras à l'épicerie des croûtes de pizza nature, à l'origan, au basilic, etc. Pratique! Tu n'as qu'à les garnir avec les ingrédients de ton choix.

1	croûte de pizza de 6 pouces
3	c. à soupe de sauce aux tomates
1/2	tasse de jambon cuit, en morceaux
1/2	tasse d'ananas égoutté, en morceaux
1	tasse de mozzarella râpée

Préchauffe le four à 350 °F. Étale la sauce aux tomates sur la croûte. Répartis ensuite le jambon et les ananas. Parsème ta pizza de fromage. Fais-la cuire 10 à 15 minutes jusqu'à ce que le fromage soit doré. Laisse refroidir ta pizza, puis coupe-la en deux et dépose-la dans un contenant ou emballe-la dans du papier d'aluminium.

Pizza au salami et au poivron vert
1-2 portions

Pour faire ta pizza, tu peux aussi utiliser du pain pita ou des tortillas.

1	croûte de pizza de 6 pouces
3	c. à soupe de sauce aux tomates
6 à 8	tranches de salami
6	rondelles de poivron vert
1	tasse de mozzarella râpée

Préchauffe le four à 350 °F. Étale la sauce aux tomates sur la croûte. Répartis ensuite le salami et le poivron. Parsème ta pizza de fromage. Fais-la cuire 10 à 15 minutes jusqu'à ce que le fromage soit doré. Laisse refroidir ta pizza, coupe-la en deux et dépose-la dans un contenant ou emballe-la dans du papier d'aluminium.

Pizza au poulet et à la tomate
1-2 portions

Je te propose le pesto, mais tu peux aussi utiliser la sauce tomate de ton choix.

1	croûte de pizza de 6 pouces
3	c. à soupe de pesto
1	poitrine de poulet cuit, en morceaux
1	tomate lavée et coupée en rondelles
1	tasse de mozzarella râpée

Préchauffe le four à 350 °F. Étale le pesto sur la croûte. Répartis ensuite le poulet et les rondelles de tomate. Parsème ta pizza de fromage. Fais-la cuire 10 à 15 minutes, jusqu'à ce que le fromage soit doré. Laisse refroidir ta pizza, coupe-la en deux et dépose-la dans un contenant ou emballe-la dans du papier d'aluminium.

Pizza au pepperoni et au poivron rouge

1-2 portions

Pour colorer encore plus ta pizza, utilise des poivrons rouges, jaunes, orange et verts!

1	croûte de pizza de 6 pouces
3	c. à soupe de sauce aux tomates
6 à 8	tranches de pepperoni
1/4	de tasse de poivron rouge, en dés
1	tasse de mozzarella râpée

Préchauffe le four à 350 °F. Étale la sauce aux tomates sur la croûte. Répartis ensuite le pepperoni et les dés de poivron. Parsème ta pizza de fromage. Fais-la cuire 10 à 15 minutes, jusqu'à ce que le fromage soit doré. Laisse refroidir ta pizza, coupe-la en deux et dépose-la dans un contenant ou emballe-la dans du papier d'aluminium.

Pizza au thon et au maïs

1-2 portions

Si tu n'aimes pas le thon, utilise du saumon ou du poulet.

1	croûte de pizza de 6 pouces
3	c. à soupe de sauce aux tomates
1	boîte de thon égoutté
1/2	tasse de maïs en grains
1	tasse de mozzarella râpée

Préchauffe le four à 350 °F. Étale la sauce aux tomates sur la croûte. Répartis ensuite le thon et le maïs. Parsème ta pizza de fromage. Fais cuire 10 à 15 minutes, jusqu'à ce que le fromage soit doré. Laisse refroidir ta pizza, coupe-la en deux et dépose-la dans un contenant ou emballe-la dans du papier d'aluminium.

Pizza aux trois fromages
1-2 portions

Encore une fois, tu peux utiliser le fromage de ton choix.

1	croûte de pizza de 6 pouces
3	c. à soupe de sauce aux tomates
1/4	de tasse de mozzarella râpée
1/4	de tasse de cheddar blanc râpé
1/4	de tasse de cheddar jaune râpé

Préchauffe le four à 350 °F. Étale la sauce aux tomates sur la croûte. Répartis les fromages sur ta pizza. Fais-la cuire 10 à 15 minutes jusqu'à ce que les fromages soient dorés. Laisse refroidir ta pizza, coupe-la en deux et dépose-la dans un contenant ou emballe-la dans du papier d'aluminium.

LES ŒUFS

Les œufs sont très nutritifs. Et, en plus, ils sont faciles à cuisiner. Non seulement tu peux les servir au déjeuner, mais tu peux aussi en faire de belles omelettes ou des fausses quiches, comme le proposent les deux recettes qui suivent.

Fausse quiche au jambon, petits pois et maïs
4 portions

J'appelle cette recette une fausse quiche, car il n'y a pas de pâte. Si tu souhaites faire une vraie quiche, verse tout simplement le mélange dans une croûte.

6	œufs
1/2	tasse de lait
1/2	tasse de jambon cuit, en dés
1/2	tasse de petits pois verts
1/2	tasse de maïs en grains
2	pincées de fines herbes séchées
	Poivre, au goût
1	tasse de mozzarella râpée
1	pincée de paprika

Préchauffe le four à 350 °F. Dans un bol, casse les œufs. Verse le lait et brasse délicatement à l'aide d'un fouet.

Ajoute le jambon, les petits pois, le maïs, les fines herbes et le poivre. Dans un plat que tu auras graissé (avec du beurre ou de l'huile d'olive), verse le mélange à quiche. Parsème de fromage et de paprika. Enfourne et fais cuire 20 à 30 minutes, jusqu'à ce que les œufs soient cuits (pour vérifier la cuisson, enfonce une fourchette au centre du mélange. Tu sentiras si c'est encore liquide ou si c'est solide). Retire ton plat du four, laisse-le refroidir et mets-le au frigo.

Fausse quiche à la tomate et au fromage
4 portions

Cette recette, tout comme la précédente, se mange froide ou chaude. Et, comme il y a quatre portions, n'hésite pas à la partager avec ta famille!

6	œufs
1/2	tasse de lait
2	pincées de basilic séché
1	tomate, en rondelles
	Poivre, au goût
1	tasse de mozzarella râpée
1	pincée de paprika

Préchauffe le four à 350 °F. Dans un bol, casse les œufs. Verse le lait, ajoute le basilic et brasse délicatement à l'aide d'un fouet. Dans un plat que tu auras graissé (avec du beurre ou de l'huile d'olive), verse le mélange à quiche. Répartis les tranches de tomate et parsème de fromage et de paprika. Enfourne et fais cuire 20 à 30 minutes, jusqu'à ce que les œufs soient cuits (pour vérifier la cuisson, enfonce une fourchette au centre du mélange. Tu sentiras si c'est encore liquide ou si c'est solide). Retire ton plat du four, laisse-le refroidir et mets-le au frigo

LES ACCOMPAGNEMENTS

Pour accompagner ton sandwich, ta pizza ou ta fausse quiche, rien de mieux que des crudités. À toi de choisir dans la liste qui suit ceux que tu préfères. S'ils sont trop gros, coupe-les en bâtonnets ou en rondelles, et mets-les dans un sac ou un contenant.

Les crudités
brocoli, en bouquets
carottes miniatures
céleri, en bâtonnets
champignons
chou-fleur, en bouquets
concombre, en rondelles
courgettes jaunes, en rondelles
courgettes vertes, en rondelles
haricots jaunes

haricots verts
pois mange-tout
poivrons jaunes, en lanières
poivrons orange, en lanières
poivrons rouges, en lanières
poivrons verts, en lanières
radis
tomates cerises

LES REPAS CHAUDS

Tu trouveras dans cette section des recettes de repas chauds. Il te suffit de les préparer un ou deux jours à l'avance, de faire réchauffer ton repas au four à micro-ondes le matin et de le mettre dans un thermos afin qu'il reste chaud jusqu'à l'heure du lunch.

LES PATES

Les pâtes sont faciles et rapides à préparer, et tu peux y ajouter tout ce que tu veux (viande, légumes, fromage, etc.). Si tu as besoin d'aide pour manipuler les casseroles d'eau bouillante, n'hésite pas à demander à un adulte.

Fusilis au pesto
1 portion

N'oublie pas d'apporter des crudités pour accompagner ces pâtes.

1/2	tasse de fusilis
1	c. à soupe de pesto
1/2	c. à soupe d'huile d'olive
1	c. à soupe de parmesan ou de romano râpé

Dans une casserole d'eau bouillante, fais cuire les pâtes en suivant les indications sur l'emballage. Égoutte-les et remets-les dans la casserole. Ajoute le pesto, l'huile d'olive et le parmesan, et mélange bien. Dépose les pâtes dans un contenant et mets-les au frigo.

Macaronis au jambon et au fromage
1 portion

Encore une fois, n'oublie pas d'accompagner ce plat de tomates cerises, et de bâtonnets de carottes ou de céleri.

1/2	tasse de macaronis
1/2	c. à soupe de beurre
1/4	de tasse de jambon cuit, en dés
1/4	de tasse de cheddar râpé

Dans une casserole d'eau bouillante, fais cuire les pâtes en suivant les indications sur l'emballage. Égoutte-les et remets-les dans la casserole. Ajoute le beurre, le jambon et le fromage, et mélange bien. Dépose les pâtes dans un contenant et mets-les au frigo.

Boucles aux tomates
1 portion

N'hésite pas à varier les sortes de pâtes. Il en existe de toutes les formes, et presque de toutes les couleurs!

1/2 tasse de boucles

2 c. à soupe de sauce aux tomates

1 c. à soupe de parmesan ou de romano râpé

Dans une casserole d'eau bouillante, fais cuire les pâtes en suivant les indications sur l'emballage. Égoutte-les et remets-les dans la casserole. Ajoute la sauce aux tomates et le fromage, et mélange bien. Dépose les pâtes dans un contenant et mets-les au frigo.

Pennine au thon
1 portion

Tu peux aussi utiliser un restant de saumon cuit ou du saumon en boîte pour faire cette recette.

1/2	tasse de pennine
1/2	boîte de thon égoutté
2	c. à soupe de sauce aux tomates
1	c. à soupe de crème 35 % M.G.
1	c. à soupe de parmesan ou de romano râpé

Dans une casserole d'eau bouillante, fais cuire les pâtes en suivant les indications sur l'emballage. Égoutte-les et remets-les dans la casserole. Ajoute le thon, la sauce aux tomates, la crème et le fromage, et mélange bien. Dépose les pâtes dans un contenant et mets-les au frigo.

LES VIANDES

Voici quelques recettes de viande qui se préparent rapidement et facilement. N'hésite pas à demander l'aide d'un adulte si tu en as besoin.

Pain de viande
4-6 portions

Tu peux faire cette recette avec du bœuf, du veau ou de l'agneau haché. Tu peux même mélanger les trois sortes de viande!

1	livre de viande hachée
2	gousses d'ail hachées
2	c. à soupe de sauce Worcestershire
1	c. à soupe de tabasco
3	pincées de fines herbes séchées
1	œuf

Préchauffe le four à 350 °F. Dans un bol, dépose la viande, l'ail haché, la sauce Worcestershire et le tabasco, les fines herbes et l'œuf. Avec tes mains – propres! –, mélange bien le tout. Façonne la viande en pain. Dépose-la dans un moule à pain graissé (avec du beurre ou de l'huile d'olive). Enfourne et fais cuire 30 à 45 minutes (pour vérifier la cuisson, enfonce une fourchette au centre du mélange. Tu sentiras s'il est encore mou ou s'il est solide). Retire le pain de viande du four, laisse-le refroidir et mets-le au frigo. Accompagne ce plat d'un restant de riz, de légumes ou de crudités.

Saucisses, légumes et riz poêlés
1 portion

Si les oignons te font pleurer, passe la lame de ton couteau sous l'eau froide.

1	c. à soupe d'huile d'olive
1	saucisse, en dés
1	petit oignon, en dés
1/2	branche de céleri, en dés
1/2	branche de carottes, en dés
1	pincée de fines herbes séchées
1/4	de tasse de riz cuit

Verse l'huile d'olive, les saucisses et l'oignon dans une poêle. À feu moyen, fais revenir le tout une dizaine de minutes. Ajoute ensuite le céleri et les carottes, ainsi que les fines herbes. Fais cuire 3 à 4 minutes. Ajoute le riz cuit et retire du feu. Laisse ton plat refroidir, puis dépose-le dans un contenant que tu mettras au frigo.

Plat de jambon, maïs et riz
1 portion

Tu peux aussi manger ce plat froid. Tu n'as qu'à mélanger les trois premiers ingrédients et à ajouter 1 c. à soupe de mayonnaise et du poivre.

1/2	tasse de jambon cuit, en lanières
1/2	tasse de maïs en grains
1/2	tasse de riz cuit
1	c. à soupe d'huile d'olive
1	pincée de basilic

Dans un plat, mélange bien le jambon, le maïs, le riz, l'huile d'olive et le basilic. Dépose le tout dans un contenant que tu mettras au frigo. Tu n'auras qu'à faire réchauffer ton mélange, puis le mettre dans un thermos pour qu'il soit encore chaud à l'heure du lunch.

Chili
4-6 portions

Voici une recette qui vient du Mexique. Accompagne-la de fromage et de crudités.

1 c. à soupe d'huile d'olive

1 livre de bœuf haché

1 petit oignon finement haché

1 c. à soupe de sauce Worcestershire

1 c. à thé de tabasco

1 pincée d'assaisonnement de chili ou d'épices cajun

1 boîte de haricots rouges rincés et égouttés

Dans une poêle, dépose l'huile d'olive, le bœuf haché et l'oignon. À feu moyen, fais revenir le tout une quinzaine de minutes. Ajoute la sauce Worcestershire et le tabasco, les épices et les haricots rouges. Mélange bien le tout. Retire du feu. Laisse refroidir le chili, puis mets-le au frigo.

Viande hachée au riz
4-6 portions

Tu peux ajouter à cette recette tous les légumes qui te tentent : champignons, courgettes, poivrons rouges, carottes... À toi de découvrir ce que tu aimes !

1 c. à soupe d'huile d'olive
1 livre de bœuf haché
1 petit oignon, en dés
1 poivron vert, en dés
1 branche de céleri, en dés
2 tasses de riz cuit
1 c. à soupe de sauce soya

Dans une poêle, mets l'huile d'olive, le bœuf haché et l'oignon. À feu moyen, fais revenir le tout dix minutes. Ajoute le poivron et le céleri, et fais cuire cinq minutes de plus. Incorpore le riz cuit et la sauce soya, et mélange bien. Retire du feu. Laisse refroidir ton plat et mets-le au frigo.

LES COLLATIONS ET LES DESSERTS

Tu trouveras dans cette section des idées de collations et de desserts. Comme la plupart des recettes te donneront beaucoup plus qu'une portion, offres-en à ta maman, ton papa et à tes frères et sœurs!

Salade de petits fruits
4 portions

Au mois de juin, les petits fruits commencent à apparaître dans les épiceries. Comme ils sont alors pas très chers, c'est le temps d'en profiter!

1/2	tasse de fraises
1/2	tasse de bleuets
1/2	tasse de framboises
1/2	tasse de mûres

À l'aide d'un couteau, coupe les fraises en quatre. Mets-les dans une passoire, avec les bleuets, les framboises et les mûres. Rince délicatement les fruits et laisse l'eau s'égoutter. Dépose les petits fruits dans un bol et mélange-les en faisant bien attention de ne pas les écraser. Répartis-les dans quatre plats que tu mettras au frigo.

Salade d'agrumes
4 portions

La famille des agrumes comprend : les oranges, les oranges sanguines (rouges), les pamplemousses roses et blancs, les clémentines, les tangerines, les citrons et les limes. Ce sont des fruits très juteux et rafraîchissants, pleins de vitamine C. L'hiver, ils aident à combattre le rhume et la grippe.

2 oranges (sanguines ou non)
1 pamplemousse rose
1 pincée de menthe séchée ou quelques feuilles de menthe fraîche (facultatif)

Épluche les oranges et le pamplemousse. Défais-les en quartiers. À l'aide d'un couteau, tranche chaque quartier en deux ou trois. Dépose les morceaux d'agrumes dans un bol et mélange-les. Ajoute la menthe, si tu le souhaites. Mélange bien à nouveau. Répartis les fruits dans quatre plats que tu mettras au frigo.

Salade de melons
4 à 6 portions

La famille des melons offre des fruits très rafraîchissants. Cette collation sera parfaite après un cours d'éducation physique.

1/2	cantaloup
1/2	melon miel Honeydew
1/2	petit melon d'eau, rouge ou jaune

À l'aide d'une cuillère parisienne (demande à ta maman ou à ton papa s'ils en ont une; sinon, coupe les fruits en morceaux, tout simplement), fabrique des boules de cantaloup, de melon miel et de melon d'eau. Assure-toi de bien enlever les pépins du melon d'eau, s'il y en a. Mélange les boules de melons. Répartis la salade de melons dans des plats que tu mettras au frigo.

Mélange de fruits séchés
4 portions

Contrairement aux fruits frais, les fruits séchés se conservent longtemps. Une fois que tu les auras mis dans des contenants hermétiques, range-les dans le garde-manger.

1/2 tasse de raisins secs
1/2 tasse de canneberges séchées
1/2 tasse d'abricots séchés
1/2 tasse de dattes séchées

Dans un bol, dépose les raisins secs, les canneberges, les abricots et les dattes. Mélange bien. Répartis les fruits dans quatre plats qui ferment bien.

Mélange de fruits exotiques séchés

4 portions

Cette recette est une variante de la précédente. Comme les fruits exotiques sont très colorés, tu auras un beau mélange jaune, orange et rouge!

1/2 tasse d'ananas séché, en dés

1/2 tasse de papaye séchée, en dés

1/2 tasse de mangue séchée, en dés

1/2 tasse de canneberges séchées

Si les ananas, papayes et mangues sont en gros morceaux ou en lanières, coupe-les en dés à l'aide d'un couteau. Dans un bol, dépose tous les fruits séchés. Mélange bien. Répartis les fruits dans quatre plats.

Yogourt aux fruits
1 portion

Tu peux varier à l'infini cette recette avec de la confiture de fraises, de framboises, de bleuets ou de pêches. Essaie différents mariages de saveurs en y changeant de fruits à chaque fois.

1/3	de tasse de yogourt nature
1	c. à thé de ta confiture préférée
1/4	tasse de ton fruit préféré, entier s'il est petit (bleuet, framboise) ou en morceaux s'il est gros (pêche)

Dans un bol, mélange délicatement le yogourt nature, la confiture et les morceaux de fruits. Dépose ton yogourt dans un contenant que tu mettras au frigo.

Yogourt au miel
1 portion

Si tu n'aimes pas le miel, remplace-le par du sirop d'érable.

1/3	de tasse de yogourt nature
1	c. à thé de miel liquide
1/4	de tasse de framboises, de fraises ou de bleuets (facultatif)

Dans un bol, mélange délicatement le yogourt et le miel. Ajoute les petits fruits, si tu en as envie. Dépose ton yogourt dans un contenant que tu mettras au frigo.

Mini-sandwichs croquants au fromage
3 sandwichs

Pour faire tes sandwichs au fromage, tu peux utiliser: des biscuits soda, des petits canapés du genre Grissol, des craquelins nature ou aux légumes, ou d'autre sorte de craquelins que tu trouveras à l'épicerie.

6	craquelins
3	tranches de fromage de ton choix (cheddar, mozzarella, etc.), de mêmes dimensions que tes craquelins

Cette recette est vraiment très simple. Sur trois craquelins, dépose une tranche de fromage, puis recouvre-les d'un autre craquelin. Tu auras ainsi trois mini-sandwichs que tu pourras emballer dans de la pellicule plastique.

Sandwichs à la confiture de fraises
2 sandwichs

Cette recette se prépare rapidement, puisqu'elle ne nécessite aucune cuisson. Assure-toi de choisir des biscuits «nature», c'est-à-dire sans aucune garniture.

4 biscuits à la vanille ou au chocolat
2 c. à thé de ta confiture préférée (de fraises, de framboises, de bleuets…)

Cette recette est aussi simple que celle des *Mini-sandwichs croquants au fromage*. Étale la confiture sur deux des biscuits. Ferme tes sandwichs à l'aide des biscuits restants. Enveloppe-les dans de la pellicule plastique. Si tu en as envie, tu peux faire des sandwichs à trois étages!

Brownies aux brisures de chocolat blanc

16 portions

Pour un goût différent, tu peux remplacer l'essence de vanille par de l'essence d'orange ou de menthe.

1/3	de tasse de beurre
4	onces de chocolat mi-sucré
2	onces de chocolat non sucré
3/4	de tasse de sucre
2	œufs
2	c. à thé d'essence de vanille
1/2	tasse de brisures de chocolat blanc
1/2	tasse de farine
1	pincée de sel

Préchauffe le four à 350 °F. Dans une casserole, tout en brassant, fais fondre le beurre, le chocolat mi-sucré et le chocolat non sucré. Retire la casserole du feu et laisse refroidir pendant 10 minutes. À l'aide d'un fouet, ajoute le sucre à la préparation de chocolat et mélange bien. Incorpore les œufs, un à un, ainsi que l'essence de vanille. Ajoute les brisures de chocolat blanc et mélange bien. Incorpore la farine et le sel et brasse une dernière fois. Verse la pâte dans un moule carré de 20 cm (8 po) que tu auras graissé avec du beurre ou de l'huile d'olive. Fais cuire les brownies 25 à 30 minutes (c'est prêt quand un cure-dent que tu piques au centre du mélange ressort propre). Laisse refroidir, puis coupe en carrés.

Biscuits à l'avoine et aux pépites de chocolat
36 biscuits

Tu peux remplacer les brisures de chocolat par des brisures de caramel.

2/3	de tasse de beurre à la température de la pièce
1	tasse de cassonade tassée
1	œuf
1 1/2	tasse de flocons d'avoine
1	tasse de farine
1/2	c. à thé de poudre à pâte
1/2	c. à thé de bicarbonate de soude
1	pincée de sel
1	tasse de brisures de chocolat mi-sucré

Préchauffe le four à 375 °F. Dans un bol, mélange le beurre et la cassonade. Ajoute l'œuf et brasse bien.

Dans un autre bol, mélange les flocons d'avoine, la farine, la poudre à pâte, le bicarbonate de soude et le sel. Incorpore les ingrédients secs et les brisures de chocolat à la préparation au beurre. Mélange bien le tout. À l'aide de deux cuillères, dépose la pâte sur une plaque à biscuits que tu auras beurrée. Espace-les de 5 cm (2 po). Fais cuire pendant 10 minutes, ou jusqu'à ce que les biscuits commencent à dorer. Laisse refroidir. Range les biscuits dans un contenant hermétique.

Biscuits aux cerises
24 biscuits

Les cerises confites vertes et rouges, à cause de leur couleur, rappellent Noël. En décembre, juste avant de terminer l'école, offre ces biscuits à tes amis. Ils seront ravis !

1	tasse de farine
1	c. à thé de poudre à pâte
3	c. à soupe de beurre à la température de la pièce
1/4	de tasse de sucre
1	œuf
2	c. à soupe de lait
1	c. à thé d'essence de vanille
12	cerises au marasquin, rouges ou vertes, coupées en deux

Préchauffe le four à 350 °F. Dans un bol, mélange la farine et la poudre à pâte. Dans une autre bol, écrase le beurre à la fourchette et brasse jusqu'à ce qu'il soit crémeux. Ajoute le sucre et l'œuf, et mélange bien. Incorpore le mélange de farine, le lait et l'essence de vanille. Brasse bien la préparation une dernière fois. À l'aide de deux cuillères, façonne 24 boules de pâtes et dépose-les sur une plaque à biscuits que tu auras beurrée. Espace-les de 2,5 cm (1 po). Garnis chaque biscuit d'une demi-cerise. Fais cuire au four pendant 12 minutes ou jusqu'à ce que les biscuits commencent à dorer. Laisse refroidir. Range les biscuits dans un contenant hermétique.

LES AUTRES COLLATIONS ET DESSERTS

En plus des collations et desserts proposés, voici une liste de fruits frais et séchés qui peuvent être servis en fin de repas ou à l'heure de la collation. Comme il est important, pour bien grandir, de consommer beaucoup de fruits frais (et de légumes !), n'hésite pas à en manger...

Les fruits frais

abricots	mûres
ananas	nectarines
bananes	oranges
bleuets	pamplemousses roses
cantaloups	papayes
cerises	pêches
clémentines	poires
figues	pommes jaunes
fraises	pommes rouges
framboises	pommes vertes
kiwis	prunes
mangues	raisin noir
melons d'eau jaunes	raisin rouge
melons d'eau rouges	raisin vert
melons miel Honeydew	tangerines

Les fruits séchés

abricots	figues
ananas	papayes
canneberges	pruneaux
dattes	raisins

LES BOISSONS

N'oublie pas d'inclure dans ta boîte à lunch quelque chose à boire. Il est très important que tu boives beaucoup d'eau durant la journée, mais à l'heure du lunch, fais-toi plaisir en dégustant l'une des boissons suivantes.

Les boissons

eau de source
eau minérale aux fruits
jus de pomme
jus de poire
jus d'orange
jus de pamplemousse
jus d'ananas
jus de raisin
jus de canneberge
jus de fruits exotiques

jus de tomate
jus de carottes
jus de légumes
lait
lait à la fraise (une fois de temps en temps seulement !)
lait au chocolat (une fois de temps en temps aussi !)

Psitt !
Veille à ce que les jus de fruits que tu choisis ne contiennent pas trop de sucre. Un jus trop sucré (comme les cocktails) donne envie de boire au lieu de désaltérer, et comme les fruits sont naturellement sucrés, il est inutile d'ajouter du sucre. ;-)

IL FAIT BEAU, C'EST L'ÉTÉ ET LA SAISON DU BARBECUE BAT SON PLEIN.

Afin de réussir vos festins de la belle saison, voici de délicieuses recettes de marinades, de sauces et de salades.

Auteur : **NATHALIE FRADETTE**

Format : **5.5 X 8.5 (14 cm X 21 cm)**

96 pages   Prix : **11,95 $**

LE TOFU PAS BESOIN D'ÊTRE VÉGÉTARIEN POUR LE CUISINER

Enfin,
**un livre pour tous ceux qui veulent intégrer
un peu de tofu dans leur alimentation,
sans toutefois devenir grano!**

Auteur : **NATHALIE FRADETTE**
Format : **5.5 X 8.5 (14 cm X 21 cm)**
96 pages   Prix : **11,95 $**

Bon de commande au verso

• COUPON DE COMMANDE •

J'aimerais recevoir le livre suivant

☐ **Le tofu pour tous** .... 11,95 $

☐ **Marinades, sauces et salades d'été** .... 11,95 $

Poste et expédition .... 5,00 $

Allouez 3 à 4 semaines
pour livraison.
COD accepté (ajoutez 6 $).
Faites chèque ou mandat à
LIVRES À DOMICILE 2000
C.P. 325 succ. Rosemont
Montréal (Québec)
H1X 3B8

Sous-total ...._ $

Ajoutez TPS 7% ...._ $

Total .... $

Nom : ....

Adresse : ....

Ville : ....

Code postal : ....Tél. : ....

OU FAITES PORTER À VOTRE
CARTE DE CRÉDIT   ☐ MasterCard   ☐ VISA   ☐ AMERICAN EXPRESS

N° carte : ....

Expiration : ....

Signature ....

Commandez notre catalogue
et recevez, en plus,

UN LIVRE CADEAU

et de la documentation
sur nos nouveautés * .

* DES FRAIS DE POSTE DE 5,00 \$ SONT APPLICABLES. FAITES VOTRE CHEQUE OU MANDAT POSTAL AU NOM DE **LIVRES À DOMICILE 2000**

Remplissez et postez ce coupon à

LIVRES À DOMICILE 2000, C.P. 325, Succursale Rose-mont, Montréal (Québec) CANADA H1X 3B8

LES PHOTOCOPIES ET LES FAC-SIMILÉS NE SONT PAS ACCEPTÉS.
COUPONS ORIGINAUX SEULEMENT.

Allouez de 3 à 6 semaines pour la livraison.

* En plus de recevoir le catalogue, je recevrai un livre au choix du département de l'expédition. / Offre valable pour les résidants du Canada et des États-Unis seulement. / Pour les résidents des États-Unis d'Amérique, les frais de poste sont de 11 \$. / Un cadeau par achat de livre et par adresse postale. / Cette offre ne peut être jumelée à aucune autre promotion. / Certains livres peuvent être légèrement défraîchis.

La boîte à lunch familiale (#523)

Votre nom: ....

Adresse: ....

....

Ville: ....

Province/État ....

Pays: ....Code postal: ....

Date de naissance: ....

La boîte à lunch familiale (#523)

La boîte à lunch familiale (#523)

La boîte à lunch familiale (#523)